Petits Contes & Classiques

Boucle d'or et les trois ours

Illustré par Xavière Devos

Pour Greg.

X.D.

 **Magnard Jeunesse**

Il était une fois trois ours
qui vivaient dans une jolie maison, au cœur de la forêt.
Il y avait un grand Papa ours,
une Maman ours, de taille moyenne,
et un tout petit Bébé ours.

Un jour, Maman ours fit une délicieuse bouillie d'avoine
qu'elle versa dans trois bols :
un grand bol pour Papa ours,
un bol moyen pour elle-même,
et un tout petit bol pour Bébé ours.
« Nous ne pouvons pas la manger tout de suite, dit-elle,
c'est beaucoup trop chaud ! »

« Si nous allions faire un petit tour dans la forêt,
en attendant que cela refroidisse, proposa Bébé ours.
— C'est une bonne idée », approuva Papa ours.
Et les trois ours s'enfoncèrent dans les grands bois,
humant l'air frais le long des sentiers.

Pendant que les trois ours s'amusaient,
une petite fille arriva près de leur maison.
Elle avait de magnifiques cheveux blonds
et s'appelait Boucle d'Or.
Elle cueillait des jonquilles
et s'était aventurée un peu loin dans le bois.

« Quelle jolie petite maison ! se dit-elle.
Je me demande qui l'habite. »

Elle frappa à la porte, mais ne reçut aucune réponse.
Elle jeta un coup d'œil par la fenêtre, mais ne vit
personne.
Alors, elle ouvrit la porte, qui n'était pas fermée à clé,
et entra dans la maison.

D'abord, Boucle d'Or aperçut trois fauteuils.

Elle s'assit dans le fauteuil de Papa ours,

mais elle le trouva bien trop haut et trop dur.

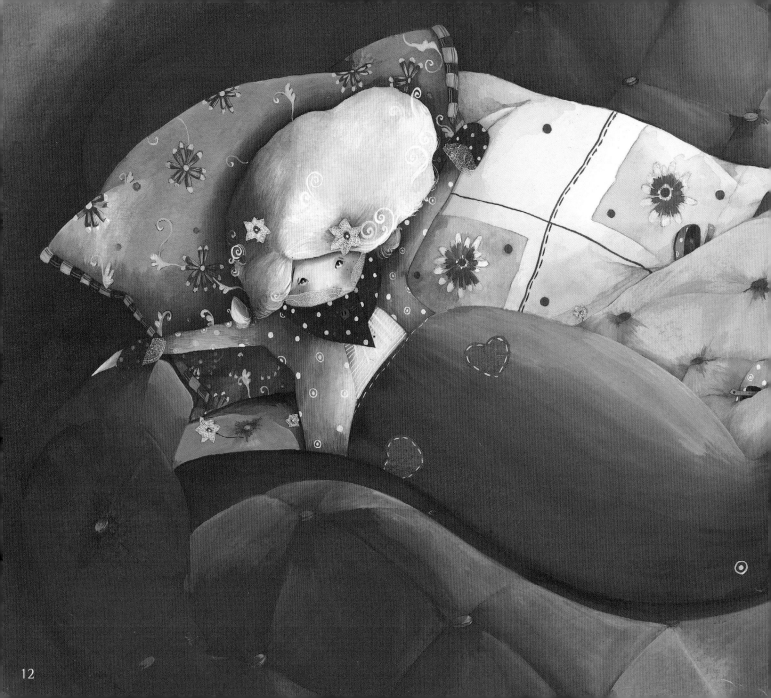

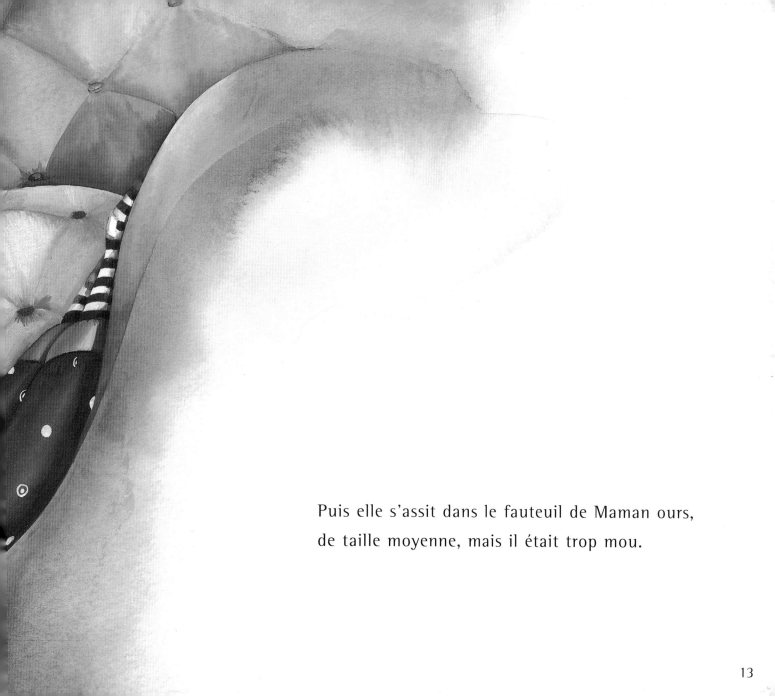

Puis elle s'assit dans le fauteuil de Maman ours,
de taille moyenne, mais il était trop mou.

Enfin, elle s'assit dans le petit fauteuil à bascule de Bébé ours.
Il était juste comme il fallait.
Mais Boucle d'Or était trop lourde pour cette petite chaise
et, tandis qu'elle se balançait, crac !,
le fauteuil se cassa en mille morceaux.

15

Effrayée par sa bêtise, Boucle d'Or passa vite
dans la pièce suivante. C'était la cuisine.
À la vue des bols encore tout fumants,
Boucle d'Or sentit l'eau lui monter à la bouche.

« Hum ! Comme ça sent bon ! » s'exclama-t-elle.
Elle commença par goûter ce qu'il y avait
dans le grand bol de Papa ours,
mais la bouillie était bien trop chaude et elle se brûla.

Ensuite, elle goûta ce qu'il y avait dans le bol moyen de Maman ours, mais la bouillie était trop salée.

Enfin, elle goûta la bouillie qui était
dans le petit bol de Bébé ours :
elle était juste comme il fallait, onctueuse et sucrée à point.
Elle la trouva tellement bonne qu'elle la mangea
jusqu'à la dernière goutte.

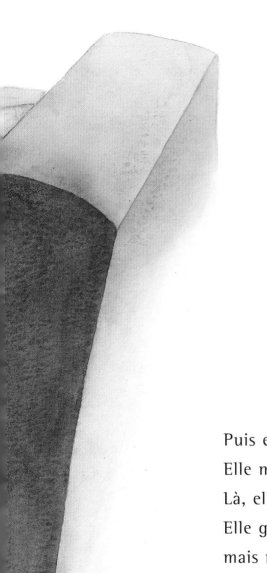

Puis elle se sentit fatiguée et voulut faire la sieste.

Elle monta à l'étage où se trouvait la chambre des trois ours.

Là, elle découvrit trois lits.

Elle grimpa sur le grand lit de Papa ours,

mais redescendit aussitôt.

Il était beaucoup trop dur !

Alors, elle s'allongea sur le lit moyen
de Maman ours, mais le trouva trop mou.

Enfin, elle se coucha dans le tout petit lit de Bébé ours,
qui était tout à fait bien. Puis elle s'endormit.

Au bout d'un moment,
comme ils avaient terminé leur promenade,
les trois ours rentrèrent à la maison.
Ils s'aperçurent aussitôt qu'un étranger était passé par là :
« Quelqu'un s'est assis dans mon fauteuil ! »
s'écria Papa ours d'une très grosse voix.

« Quelqu'un s'est assis dans mon fauteuil ! »
dit Maman ours de sa voix douce.

34

« Et quelqu'un a cassé mon fauteuil à bascule ! »
dit Bébé ours en pleurant.

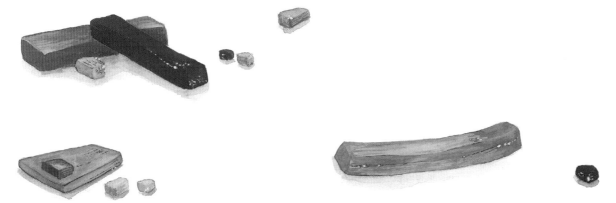

Ils pénétrèrent dans la cuisine
et virent qu'on avait goûté leur petit déjeuner.
« Quelqu'un a goûté ma bouillie ! »
dit Papa ours d'une très grosse voix.

« Quelqu'un a goûté à mon déjeuner ! »
dit Maman ours de sa voix douce.

Bébé ours se remit à pleurer :

« Quelqu'un a goûté à ma bouillie et l'a toute mangée ! »

Les trois ours montèrent aussitôt dans leur chambre.

« Quelqu'un est monté sur mon lit ! »

dit Papa ours d'une très grosse voix.

« Quelqu'un s'est allongé sur mon lit ! »
dit Maman ours d'une voix toujours douce.

« Regardez ! s'exclama
Bébé ours, étonné,
quelqu'un dort
dans mon lit ! »

PEFC
10-31-2065

Certifié PEFC
pefc-france.org

© Éditions Magnard Jeunesse, 2010
5, allée de la 2ᵉ D.B. – 75015 Paris
www.magnard.fr

Photogravure : E-graphica

Tous droits de reproduction, de traduction et d'adaptation réservés pour tous pays.
Loi n° 49-956 du 16-07-1949 sur les publications destinées à la jeunesse.

Dépôt légal : août 2010
N° d'éditeur : 2013/1210
Deuxième édition

Achevé d'imprimer en août 2013 par Pollina
N° d'impression : L66045

À ces mots, Boucle d'Or se réveilla.

Elle ouvrit les yeux et eut si peur en apercevant

les trois ours qu'elle s'enfuit en courant.

Les trois ours ne la revirent jamais et plus jamais Boucle d'Or

ne s'aventura aussi loin dans la forêt.

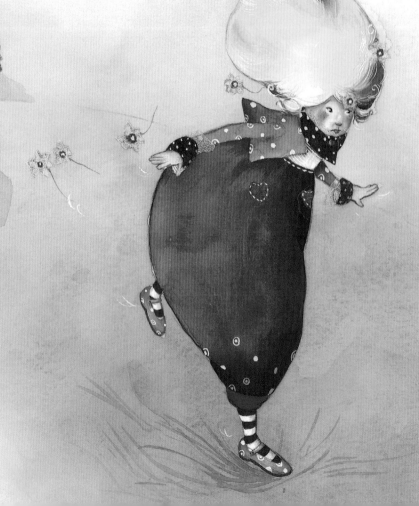